Für Doris

„Denn Gott hat die Welt so sehr geliebt,
dass er seinen einzigen
Sohn hingab, damit jeder, der an
ihn glaubt, nicht verloren geht,
sondern ewiges Leben hat."

Joh 3, 16 (Einheitsübersetzung)

...und siehe, da stand ein Gesetzeslehrer auf,
versuchte ihn und sprach:
Meister, was muss ich tun,
dass ich das ewige Leben ererbe?
Er aber sprach zu ihm:
Was steht im Gesetz geschrieben? Was liest du?
Er antwortete und sprach:
„Du sollst den Herrn, deinen Gott, lieben von
ganzem Herzen, von ganzer Seele und mit all deiner
Kraft und deinem ganzen Gemüt,
und deinen Nächsten wie dich selbst“
(5. Mose 6,5; 3. Mose 19,18).
Er aber sprach zu ihm: Du hast recht geantwortet;
tu das, so wirst du leben.
(Lukas 10, 25 - 28)

Vorwort

Kultur, Bildung und Erziehung lehren den Menschen die verbale (Worte), mathematische (Zahlen) und musische (bildende Kunst und Musik) Sprachen. Poesie verbindet diese drei zu einem Ganzen.

Poesie, das ist ein Text, der zusätzlich metrisch sein kann und vielleicht sogar melodisch ist.

Daraus entsteht manchmal ein wunderbares Lied. Auch hier gibt es eine Dreiteilung; denn es ist ein Unterschied, ob wir das Lied nur lesen, ob wir es hören oder ob wir es freudig in einem Chor singen.

Unser Buch zeigt Liedertexte, die von der Botschaft „Liebe", dem Evangelium Jesu Christi, handeln. Lieder, die einige Jahrhunderte alt sind und deren Glaubensinhalt und -freude aktuell bleiben.

Hinzugefügt wurden entsprechende Bibelstellen und Texte aus dem „Lobgesang – Leben, Licht und Liebe der Schöpfung Gottes", ergänzt mit Bildern von dem Grafiker Arthur J. Elser, der uns diese freundlicherweise für unsere Ausgabe überlassen hat.

Wir wünschen viel Freude beim Lesen!

Der Herausgeber

Ich bete an die Macht der Liebe,
die sich in Jesu offenbart;
Ich geb mich hin dem freien Triebe,
wodurch ich Wurm geliebet ward;
Ich will, anstatt an mich zu denken,
ins Meer der Liebe mich versenken.

Für Dich sei ganz mein Herz und Leben,
Mein großer Gott, und all mein Gut!
Für Dich hast Du mir's nur gegeben;
In Dir es nur und selig ruht.
Hersteller meines schweren Falles,
Für Dich sei ewig Herz und alles!

Ich liebt und lebte recht im Zwange,
Wie ich mir lebte ohne Dich;
Ich wollte Dich nicht, ach so lange,
Doch liebest Du und suchtest mich,
Mich böses Kind aus bösem Samen,
Im hohen, holden Jesusnamen.

Des Vaterherzens tiefste Triebe
In diesem Namen öffnen sich;
Ein Brunn der Freude, Fried und Liebe
Quillt nun so nah, so mildiglich.
Mein Gott, wenns doch der Sünder wüsste!
– sein Herz alsbald Dich lieben müsste.

Wie bist Du mir so zart gewogen,
Wie verlangt Dein Herz nach mir!
Durch Liebe sanft und tief gezogen,
Neigt sich mein Alles auch zu Dir.
Du traute Liebe, gutes Wesen,
Du hast mich und ich Dich erlesen.

Ich fühls, Du bist's, Dich muss ich haben,
Ich fühls, ich muss für Dich nur sein;
Nicht im Geschöpf, nicht in den Gaben,
Mein Ruhplatz ist in Dir allein.
Hier ist die Ruh, hier ist Vergnügen;
Drum folg ich Deinen selgen Zügen.

Ehr sei dem hohen Jesusnamen,
In dem der Liebe Quell entspringt,
Von dem hier alle Bächlein kamen,
Aus dem der Selgen Schar dort trinkt.
Wie beugen sie sich ohne Ende!
Wie falten sie die frohen Hände!

O Jesu, dass Dein Name bliebe
Im Grunde tief gedrücket ein!
Möcht Deine große Jesusliebe
In Herz und Sinn gepräget sein!
Im Wort, im Werk, in allem Wesen
Sei Jesus und sonst nichts zu lesen.

Gerhard Tersteegen (1697 - 1769)

Unsere Welt

hat Gott geschenkt –

Wer sie erhält,

der dankt und denkt.

Das Spiel mit dem Regenbogen

Mehr lieben möcht' ich Dich;
hör' mein Gebet!
Ich flehe inniglich,
ruf früh und spät:

Chor:
Mehr lieben möcht' ich Dich,
mehr lieben, Heiland, Dich!
Mehr lieben Dich, mehr lieben Dich!

Einst sucht' ich außer Dir
mein Glück und Teil;
doch nun erseh' ich mir
Dein volles Heil!

Chor:
Das ist mehr lieben Dich,
mehr lieben, Heiland Dich.
Mehr lieben Dich, mehr lieben Dich!

Drückt mich auch Kummer hier,
schmerzt Kreuzespein,
soll dies doch für und für
mein Wahlspruch sein:

Chor:
Mehr lieben will ich Dich,
mehr lieben, Heiland, Dich.

Mehr lieben Dich, mehr lieben Dich!
Und wenn mein Herze ringt
in großer Not,
wenn Satan auf mich dringt
bis an den Tod.

Chor:
Ich will doch lieben Dich,
mehr lieben, Heiland, Dich.
Mehr lieben Dich, mehr lieben Dich!

Endigt sich dann mein Lauf
in dieser Zeit,
komm ich zu Dir hinauf,
o welche Freud'!

Chor:
Dort werd' ich lieben Dich,
mehr lieben, Heiland, Dich.
Mehr lieben Dich, mehr lieben Dich!

Elizabeth Prentiss (1818-1878)
Deutsch: Heinrich Gerdes Odinga (1833-1919)

Wiesen, Blumen, Bäume,
waren feine Träume,
wurden erwecket zu werdendem Sein,
sind nun auch dein und mein.

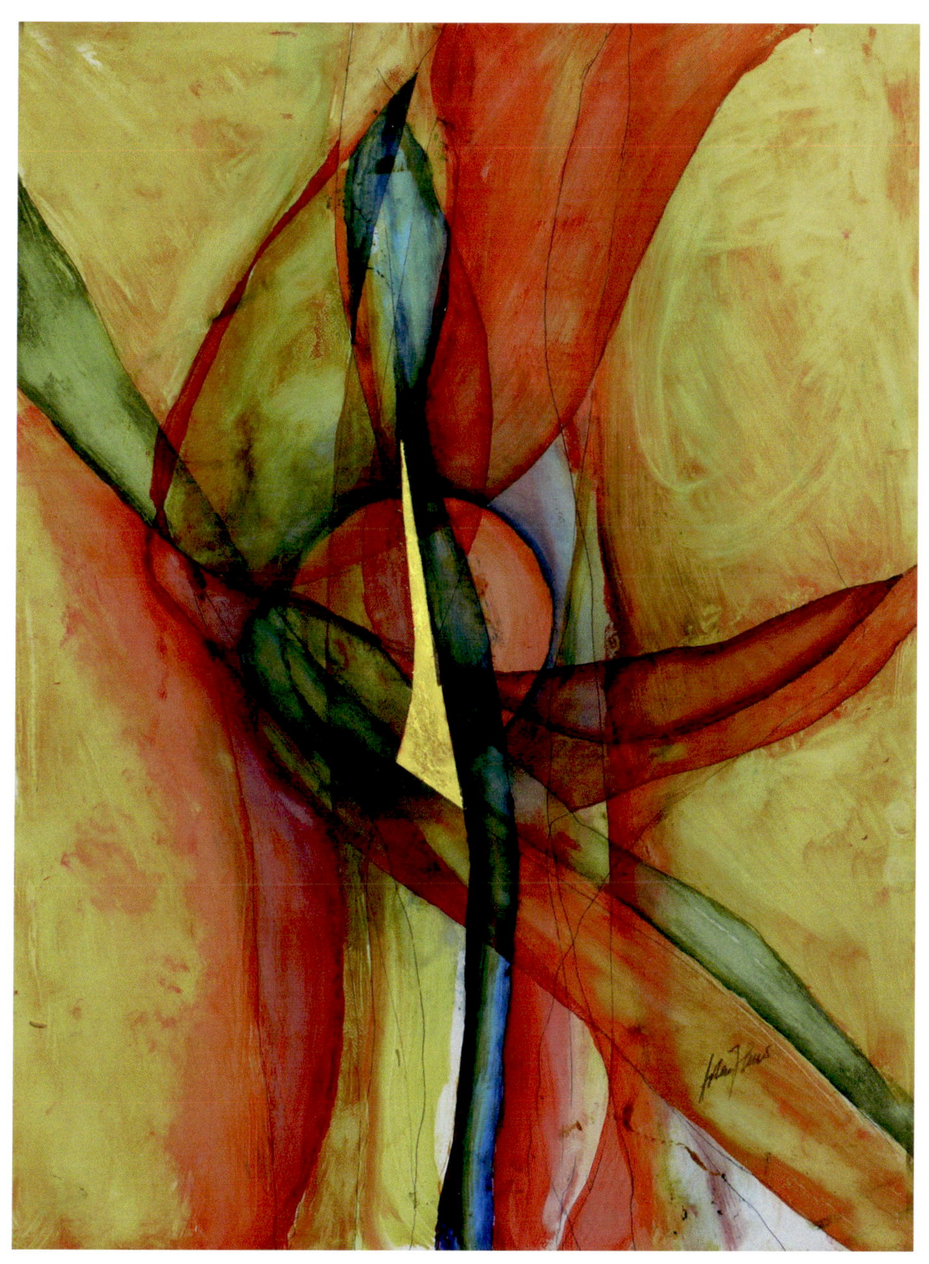

Ursprung des Seins

15

Alle Pflanzen mit den Tieren
möchten mit uns jubilieren.
Allzeit sie den Schöpfer preisen,
fröhlich und in neuen Weisen.

Begegnung

Liebe, die du mich zum Bilde
Deiner Gottheit hast gemacht;
Liebe, die du mich so milde
nach dem Fall hast wiederbracht:
Liebe, dir ergeb ich mich,
Dein zu bleiben ewiglich.

Liebe, die du mich erkoren,
eh ich noch geschaffen war,
Liebe, die du Mensch geboren
und mir gleich wardst ganz und gar:
Liebe, dir ergeb ich mich,
Dein zu bleiben ewiglich.

Liebe, die für mich gelitten
und gestorben in der Zeit;
Liebe, die mir hat erstritten
ewge Lust und Seligkeit:
Liebe, dir ergeb ich mich,
Dein zu bleiben ewiglich.

Liebe, die du Kraft und Leben
Licht und Wahrheit, Geist und Wort
Liebe, die sich ganz ergeben
mir zum Heil und Seelenhort:
Liebe, dir ergeb ich mich,
Dein zu bleiben ewiglich.
Liebe, die mich hat gebunden

an ihr Joch mit Leib und Sinn,
Liebe, die mich überwunden
und mein Herz hat ganz dahin:
Liebe, dir ergeb ich mich,
Dein zu bleiben ewiglich.

Liebe, die mich ewig liebet
und für meine Seele bitt'
Liebe, die das Lösgeld gibet
und mich kräftiglich vertritt:
Liebe, dir ergeb ich mich,
Dein zu bleiben ewiglich.

Liebe, die mich wird erwecken
aus dem Grab der Sterblichkeit;
Liebe, die mich wird umstrecken
mit dem Laub der Herrlichkeit:
Liebe, dir ergeb ich mich,
Dein zu bleiben ewiglich.

Johann Scheffler, (1624 - 1677)

Unsre Vöglein auf dem Flug
planen, denn sie sind sehr klug,
und zu ihrem Hochzeitsfest
bauen sie sich schnell ein Nest.
Auch wir Menschen könn' uns trauen,
für die Liebe Neues bauen,
weise auf den Schöpfer schauen
und dem Leben voll vertrauen.

Aufgefangen

Ihr Lieben, lasst uns einander lieb haben; denn die Liebe
ist von Gott, und wer liebt, der ist aus Gott geboren und
kennt Gott. Wer nicht liebt, der kennt Gott nicht;
denn Gott ist Liebe.

Darin ist erschienen die Liebe Gottes unter uns,
dass Gott seinen eingebornen Sohn gesandt hat in die Welt,
damit wir durch ihn leben sollen.

Darin besteht die Liebe: nicht dass wir Gott geliebt haben,
sondern dass er uns geliebt hat und gesandt seinen Sohn
zur Versöhnung für unsre Sünden.
Ihr Lieben, hat uns Gott so geliebt,
so sollen wir uns auch untereinander lieben.

Niemand hat Gott jemals gesehen. Wenn wir uns
untereinander lieben, so bleibt Gott in uns,
und seine Liebe ist in uns vollkommen.

Daran erkennen wir, dass wir in ihm bleiben und er in uns,
dass er uns von seinem Geist gegeben hat.

Und wir haben gesehen und bezeugen, dass der Vater den
Sohn gesandt hat als Heiland der Welt.

Wer nun bekennt, dass Jesus Gottes Sohn ist,
in dem bleibt Gott und er in Gott.

Und wir haben erkannt und geglaubt die Liebe,
die Gott zu uns hat:
**Gott ist Liebe; und wer in der Liebe bleibt,
der bleibt in Gott und Gott in ihm.**

Darin ist die Liebe bei uns vollendet, auf dass wir die
Freiheit haben, zu reden am Tag des Gerichts;
denn wie er ist, so sind auch wir in dieser Welt.

Furcht ist nicht in der Liebe, sondern die vollkommene
Liebe treibt die Furcht aus.
Denn die Furcht rechnet mit Strafe; wer sich aber fürchtet,
der ist nicht vollkommen in der Liebe.

Lasst uns lieben, denn er hat uns zuerst geliebt.

Wenn jemand spricht: Ich liebe Gott, und hasst seinen
Bruder, der ist ein Lügner.
Denn wer seinen Bruder nicht liebt, den er sieht, der kann
nicht Gott lieben, den er nicht sieht.

Und dies Gebot haben wir von ihm, dass, wer Gott liebt,
dass der auch seinen Bruder liebe.

(1. Joh. 4, 7 - 21)

*Wenn Blümlein sonnig blühen
verblassen manche Mühen,
unsre Sorgen werden klein
ergrünt ein kleiner Sonnenschein.*

Aufblühen

Gott ist die Liebe, lässt mich erlösen,
Gott ist die Liebe, Er liebt auch mich.

Refr.: Drum sag ich noch einmal: Gott ist die Liebe!
Gott ist die Liebe, Er liebt auch mich.

Ich lag in Banden der bösen Sünde,
ich lag in Banden und konnt nicht los.

Ich lag im Tode, des Teufels Schrecken,
ich lag im Tode, der Sünde Sold.

Er sandte Jesus, den treuen Heiland,
Er sandte Jesus und macht mich los.

Er ließ mich laden durchs Wort der Gnaden;
er ließ mich laden durch seinen Geist.

Jesus, mein Heiland, gab sich zum Opfer,
Jesus, mein Heiland, büßt meine Schuld.

Du heilst, o Liebe, all meinen Jammer,
Du stillst, o Liebe, mein tiefstes Weh.

Du füllst mit Freuden die matte Seele,
Du füllst mit Frieden mein armes Herz.

Du lässt mich erben die ewge Freude,
Du lässt mich erben die ewge Ruh.

Dich will ich preisen, Du ewge Liebe,
Dich will ich loben, solang ich bin.

Alexander Dietrich Rische, (1852)

Der Mond ist für die Nacht,
die Sonne uns erwacht.
Sie drängt und dringt
und zwängt und zwingt,
gibt gern gutes Gelingen,
auf dass wir freudig singen:
„Wir sind und bleiben SEIN,
bei Mond- und Sonnenschein!"

Mondschein

O Wunderliebe, die mich wählte
vor allem Anbeginn der Welt
und mich zu ihren Kindern zählte,
für welche sie das Reich bestellt!
O Vaterhand, o Gnadentrieb,
der mich ins Buch des Lebens schrieb.

Der Grund der Welt war nicht geleget,
der Himmel war noch nicht gemacht,
so hat Gott schon de Trieb geheget,
der mir das Beste zugedacht;
da ich noch nicht geschaffen war,
da reicht er mir schon Gnade dar.

Sein Ratschluss war, ich sollte leben
durch seinen eingebornen Sohn.
Den wollt er mir zum Mittler geben,
den macht er mir zum Gnadenthron,
in dessen Blute sollt ich rein,
geheiliget und selig sein.

Im sichern Schatten deiner Flügel
find ich die ungestörte Ruh.
Der feste Grund hat dieses Siegel:
Wer dein ist, Herr, denn kennest du.
Lass Erd und Himmel untergehn,
dies Wort der Wahrheit bleibet stehn.

Ach, könnt ich dich nur besser ehren,
welch frohes Loblied stimmt ich an!
Es sollten Erd und Himmel hören,
was du, mein Gott, an mir getan.
Nichts ist so köstlich, nichts so schön
als, höchster Vater, dich erhöhn.

Johann Gottfried Herrmann (1707 - 1791)

Wie herrlich sind doch die Sterne,
wir sehn sie trotz der Ferne,
doch Kinderaugen strahlen weiter,
bis tief ins Herz — und machen heiter.

Allegro

Wie dank ich's Heiland, deiner Liebe,
dass du, des Höchsten einger Sohn,
für mich aus gnadenvollem Triebe
verließest deinen Himmelsthron?
Wie dank ich's deinem treuen Herzen,
dass du vom Tode mich befreit
und mir die ewge Seligkeit erworben
hast durch Todesschmerzen?

Du hast dich meiner angenommen;
durch dich allein ist es geschehn,
dass ich der Finsternis entnommen,
um in dein helles Licht zu sehn.
Du hast mir köstliches Geschmeide,
das Kleid des Heiles zugewandt,
mir mitgeteilt der Kindschaft Pfand,
des Geistes selge Ruh und Freude.

Doch wär es, dass mein Geist noch hinge
durch manche Fäden an der Welt
und sein Verlangen worauf ginge,
das dir, Heilger, nicht gefällt:
ach, wäre dies, o du mein Leben,
so komm mit liebender Gewalt,
zerreiße diese Fäden bald;
dir sei mein Wille ganz ergeben.

Hier ist mein Herz und meine Seele,
ach nimm sie dir zu eigen hin,
dass sie dein Geist zum Tempel wähle,
und walte fort und fort darin.
Aus Liebe kamst du einst hernieder;
der Liebe, die dich zu uns zog
und Mensch zu werden dich bewog,
die zieh auch jetzt zu mir dich wieder.

Zerbrich, vernichte und zermalme,
was deinem Willen nicht gefällt;
ob mich die Welt an einem Halme,
ob sie an Ketten fest mich hält,
das gilt ja gleich in deinen Augen,
da nur ein ganz befreiter Geist,
der alles Eitle von sich weist,
und nur die lautre Liebe taugen.

Ja, Amen, da sind beide Hände,
auf´s neue sei dir´s zugesagt:
Ich will dich lieben ohne Ende,
mein Alles werde dran gewagt.
Ich trage meines Freundes Namen
und seiner Liebe Ehrenmal,
des Kreuzes sonst verhassten Pfahl,
auf Stirn und Brust und Rücken. Amen.

Nikolaus Graf von Zinzendorf (1700 - 1760)

Ein neues Licht erblickt die Welt,
Ereignis der Freude, die anhält.
Ist das größte aller Wunder
auch erst klein –
wer will da nicht Zeuge sein?!

Wunder

Das Hohelied der Liebe

Wenn ich mit Menschen- und mit Engelzungen redete
und hätte der Liebe nicht, so wäre ich ein tönendes Erz
oder eine klingende Schelle.
Und wenn ich prophetisch reden könnte
und wüsste alle Geheimnisse und alle Erkenntnis
und hätte allen Glauben, sodass ich Berge versetzen
könnte, und hätte der Liebe nicht, so wäre ich nichts.
Und wenn ich alle meine Habe den Armen gäbe und meinen
Leib dahingäbe, mich zu rühmen,
und hätte der Liebe nicht, so wäre mir's nichts nütze.
Die Liebe ist langmütig und freundlich, die Liebe eifert
nicht, die Liebe treibt nicht Mutwillen,
sie bläht sich nicht auf,
sie verhält sich nicht ungehörig, sie sucht nicht das Ihre,
sie lässt sich nicht erbittern, sie rechnet das Böse nicht zu,
sie freut sich nicht über die Ungerechtigkeit,
sie freut sich aber an der Wahrheit; sie erträgt alles,
sie glaubt alles, sie hofft alles, sie duldet alles. Die Liebe
höret nimmer auf, wo doch das prophetische Reden
aufhören wird und das Zungenreden aufhören wird
und die Erkenntnis aufhören wird.

Denn unser Wissen ist Stückwerk
und unser prophetisches Reden ist Stückwerk.
Wenn aber kommen wird das Vollkommene,
so wird das Stückwerk aufhören.
Als ich ein Kind war, da redete ich wie ein Kind
und dachte wie ein Kind und war klug wie ein Kind;
als ich aber ein Mann wurde, tat ich ab, was kindlich war.
Wir sehen jetzt durch einen Spiegel in einem dunklen Bild;
dann aber von Angesicht zu Angesicht.
Jetzt erkenne ich stückweise;
dann aber werde ich erkennen, gleichwie ich erkannt bin.
Nun aber bleiben Glaube, Hoffnung, Liebe, diese drei;
aber die Liebe ist die größte unter ihnen.

(1. Korinther 13)

Lachen, Schauen und Vertrauen,
fröhlich sie auf Zukunft bauen,
Kinder sind so, sind ein Gut,
machen mit – und machen Mut!

Vertrauen

Ich will dich immer treuer lieben.
Mein Heiland, gib mir Kraft dazu!
Die Welt hat lang mich umgetrieben;
nun schenkst du mir die wahre Ruh,
die Ruh, mit der nichts zu vergleichen,
der alle Königskronen weichen,
die uns den Himmel offen zeigt.

Wie freundlich hast du mich gezogen,
wie ging mir dein Erbarmen nach!
Ich mied dich gar, vom Feind betrogen,
und wählte Tod und Ungemach.
Du aber nahmst ohn mein Verlangen
und einer Liebe mich gefangen
und offenbarst dich meinem Sinn.

Getreuer Jesu, darf ich hoffen,
dass meine Liebe treuer werd?
Ach ja, dein Herze steht noch offen
dem, der des Geistes Hilf begehrt.
Ich flieh zum Reichtum deiner Güte –
mit dem erfülle mein Gemüte,
dass ich bald sei, wo du schon bist.

Johann Adam Flessner (1796 - 1856)

Gras wird grün,
Blumen blühn
und der Blätter zarte Hülle
schmückt der Früchte pralle Fülle.

Klänge klingen,
Sänger singen,
und muntere Lieder
ermutigen uns wieder.

Sommernachtstraum

Herz und Herz vereint zusammen
sucht in Gottes Herzen Ruh!
Lasset eure Liebesflammen
lodern auf den Heiland zu!
Er das Haupt, wir Seine Glieder,
Er das Licht und wir der Schein;
Er der Meister, wir die Brüder,
Er ist unser, wir sind Sein.

Kommt, ach kommt, ihr Gnadenkinder,
und erneuert euren Bund,
schwöret unserm Überwinder
Lieb und Treu aus Herzensgrund!
Und wenn eurer Liebeskette
Festigkeit und Stärke fehlt,
o so flehet um die Wette,
bis sie Jesus wieder stählt!

Legt es unter euch, ihr Glieder,
auf so treues Lieben an,
dass ein jeder für die Brüder
auch das Leben lassen kann.
So hat uns der Freund geliebet,
so vergoss Er dort sein Blut;
denkt doch, wie es Ihn betrübet,
wenn ihr euch selbst Eintrag tut.

Halleluja, welche Höhen,
welche Tiefen reicher Gnad,
dass wir dem ins Herze sehen,
der uns so geliebet hat;
dass der Vater aller Geister,
der der Wunder Abgrund ist,
dass Du, unsichtbarer Meister,
uns so fühlbar nahe bist.

Ach Du holder Freund, vereine
Deine Dir geweihte Schar,
dass sie es so herzlich meine,
wie's Dein letzter Wille war.
Ja verbinde in der Wahrheit,
die Du selbst im Wesen bist,
alles, was von Deiner Klarheit
in der Tat erleuchtet ist.

Liebe, hast Du es geboten,
dass man Liebe üben soll.
O so mache doch die toten,
trägen Geister lebensvoll:
Zünde an die Liebesflammen,
dass ein jeder sehen kann:
Wir als die von einem Stamme
stehen auch für einen Mann.

Lass uns so vereinigt werden,

wie Du mit dem Vater bist,

bis schon hier auf dieser Erde

kein getrenntes Glied mehr ist.

Und allein von Deinem Brennen

nehme unser Licht den Schein;

also wird die Welt erkennen,

dass wir Deine Jünger sein.

Nikolaus Graf von Zinzendorf (1700 – 1760)

Pflichtbewusstsein ohne Liebe macht verdrießlich.
Verantwortung ohne Liebe macht rücksichtslos.
Gerechtigkeit ohne Liebe macht hart.
Wahrhaftigkeit ohne Liebe macht kritiksüchtig.
Klugheit ohne Liebe macht betrügerisch.
Freundlichkeit ohne Liebe macht heuchlerisch.
Ordnung ohne Liebe macht kleinlich.
Sachkenntnis ohne Liebe macht rechthaberisch.
Macht ohne Liebe macht grausam.
Ehre ohne Liebe macht hochmütig.
Besitz ohne Liebe macht geizig.
Glaube ohne Liebe macht fanatisch.

Laotse

Die Liebe ist viel stärker als der Tod,
sie strömet aus des Gottes Sohnes Brust;
sie bleibet fest auch in der größten Not,
ist voller Wonne, voller Freud und Lust.
Die Liebe überwindet selbst den Tod,
die Liebe, die aus Jesu Herze quillt;
ihr Feuer brennt auch in der größten Not,
dass sie das arme Herz mit Wonne füllt.

Wer je erfuhr der großen Liebe Macht,
die ihn mit heißer Glut zum Vater zog,
die Gottes Geist erst in die Welt gebracht,
der flieht die kalte Welt, die ihn betrog.
Die Liebe überwindet selbst den Tod,
die Liebe, die aus Jesu Herze quillt;
ihr Feuer brennt auch in der größten Not,
dass sie das arme Herz mit Wonne füllt.

O selig, wer die Liebe in sich trägt,
die ewig währt, die niemals enden wird!
O selig, wenn sie sich im Sinn ausprägt
wie einst bei ihm, der Schafe treustem Hirt!
Die Liebe überwindet selbst den Tod,
die Liebe, die aus Jesu Herze quillt;
ihr Feuer brennt auch in der größten Not,
dass sie das arme Herz mit Wonne füllt.

Texter unbekannt

Feuervogel

Jesuliebe

Wo bist du, Herr Jesus nur?

Wo kann man dich heute finden?

Wir sind dir ja auf der Spur, in Demut,

trotz unserer Sünden.

Nicht mit den Schuhen in rot

und nicht in teuren Gewändern

gehst du zu dem Nächsten in Not,

der traurig lebt an den Rändern.

Du kennst das Leiden der Welt,

hörst unser tägliches Flehen:

Dein Kommen Zukunft erhellt,

dann deine Geliebten dich sehen!

Einen Freund hab ich gefunden,
wie es keinen bessern gibt.
Alle Tage, alle Stunden
weiß ich mich von ihm geliebt.
Er führt mich auf sicherm Pfade,
sorgt für mich so väterlich,
labt mit Frieden, krönt mit Gnade
Tag für Tag auf's Neue mich.

Er ist meines Herzens Sonne
und verkläret all mein Leid,
bringt der Seele Lust und Wonne,
lautre, reine Seligkeit.
So stillt er mein tiefstes Sehnen,
führt mich durch die Nacht zum Licht.
Einst wird er die letzten Tränen
wischen mir vom Angesicht.

Und nun sagt, gibt's noch auf Erden
einen Freund, wie meiner ist,
der wie er, mein Herr und Heiland,
mir so lieb und teuer ist?
Wenn ich auch mit tausend Zungen
priese seine Freundlichkeit,
wär doch nicht genug besungen
seine Lieb und Herrlichkeit.

Texter unbekannt

Tau will feuchten
und Licht leuchten.
Alle Gaben möchten geben,
auch wir wollen liebend leben;
denn Leben heißt Geben –
drum gib und lieb!

Hans-Jürgen Sträter

52 Seiten, € 6,99, ISBN: 9783750419575

Zum Herausgeber

Hans-Jürgen Sträter wurde 1953 in Witten/Ruhr geboren und hat sich seit seiner Schulzeit mit dem Schreiben von Gedichten beschäftigt. 1989 gewann er einen Lyrik- wettbewerb mit Kindergedichten. Der Preis war: 3 Wochen Urlaub in Schweden. 1996 zog er mit der Familie dann nach Wiesmoor. Ein Freund bat ihn 2007, mit den schwedischen Versen ein Buch zu erstellen — so entstand der Adlerstein Verlag. Inzwischen sind hier über 100 Titel entstanden, vorwiegend mit christlichen Texten.